轰炸机，来了！

王懿墨　屠正阳◎著
胡佳宁　东千兔兔◎绘

它们是让敌人胆寒的"天空战神"，
是当之无愧的大国重器！
看！轰炸机，来了！

北京科学技术出版社

雷达

一般装在轰炸机机头，比战斗机雷达大、探测范围广，可以跟踪并锁定数百千米外的敌人。

驾驶舱

光电转塔

通过发射红外信号实现对中远距离目标的跟踪与锁定，与雷达发出的信号互补。

登机舱门

敌我识别装置

在雷达探测到目标后，向目标发出电子信号以确认对方是否为敌人。

起落架照明灯

为飞机提供夜间照明。

轰炸机是空军轰炸力量的主力，全身都是"高科技"。

轰炸机真的太厉害了，不愧是"天空战神"。

我们赶快来学习怎么驾驶它吧！

2

矩形翼

两端宽度相同，机翼与机身垂直。早期的飞机大多采用这种机翼。

后掠翼

一种向后倾斜的机翼，可以减小飞行阻力，提高飞机速度。早期的喷气式飞机为了获得更快的速度会采用这种机翼。

翼刀

机翼上方像刀一样的结构，能避免采用后掠翼的飞机在高速飞行时失控。

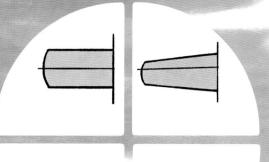

梯形翼

一端宽一端窄，比矩形翼更适合高速飞行，第二次世界大战中的螺旋桨战斗机大多采用这种机翼。

三角翼

后掠翼的升级版本，形状接近三角形，是现代战斗机最常采用的机翼。

飞机的机翼有各种不同的形状，对应的飞行性能也有所不同。

后向告警雷达接收器

被敌人的雷达锁定时会发出告警信号，提醒飞行员。

翼下重型挂架

可以挂载数吨重的重型炸弹和远程巡航导弹。

垂直尾翼

主起落架

能承受上百吨的重量，在起降时能稳稳托住轰炸机的巨大身躯。

红外告警装置

发现敌人导弹时会向飞行员发出警告。

数据传输天线

可以与基地、预警机、战斗机等进行信息交互。

水平尾翼

编队灯

夜间飞行时，飞行员通过编队灯告知队友自己的位置，以防止相撞。

战神驾到！

无论敌人在千里之外还是近在咫尺，

无论是发射导弹还是投掷炸弹，轰炸机都能胜任。

让我们驾驶轰炸机出击，体验"天空战神"的威力吧！

驾驭战神的勇士——轰炸机飞行员

想让战神成功起飞并投入作战，只靠一个人是远远不够的。

那么大的轰炸机，究竟要多少人配合驾驶呢？

"执行任务前，我先给你介绍一下机组乘员。"指导员说道。

副驾驶
协助机长驾驶轰炸机，紧急情况下接替机长驾驶飞机。

武器操作员
坐在机长和副驾驶后方，负责发射导弹、投掷炸弹、控制电子吊舱和机载自卫系统。

机长
轰炸机的主要驾驶员，机组的指挥官，负责下达各种攻击指令。

照片上是老一辈的轰炸机飞行员，他们是我们学习的榜样。

虽然轰炸机没有现在的先进，但前辈们看起来斗志昂扬。

那时的轰炸机和现在的有些不一样。

导航员

负责识别地面参照物，参考航图为飞机寻找轰炸目标，可以称得上是"人工雷达"。老式轰炸机缺乏雷达设备，需要在轰炸机机头的透明机舱内设置导航员。现代轰炸机均配备雷达和卫星定位系统，不再需要导航员了。

射击员

坐在机炮舱里，负责操纵航炮射击。现代轰炸机可以用电子对抗装置干扰来袭的空空导弹，也就不再需要射击员了。

早期的轰炸机机组乘员有很多，从六人到十几人不等，有的大型轰炸机仅射击员就有五六人。随着技术的进步，很多工作可以交给计算机完成，现代轰炸机的机组乘员也就相应减少了。

胆敢侵犯我国领土，休想逃过我的眼睛，等着瞧！

高空高速无人侦察机

表面涂有特制隐身涂料，黑亮黑亮的，外形也很奇特，乍一看像一个黑色大三角。速度很快，能以大于2倍声速的速度在高空飞行。一般需要由轰炸机挂载，待轰炸机飞到高空后才能投放。

有情况，敌人来了！

关于轰炸机飞行员的故事，我们正听得津津有味。

突然，基地里响起了急促的警报声：

"各单位注意！发现不明舰队袭击我方海岸线！"

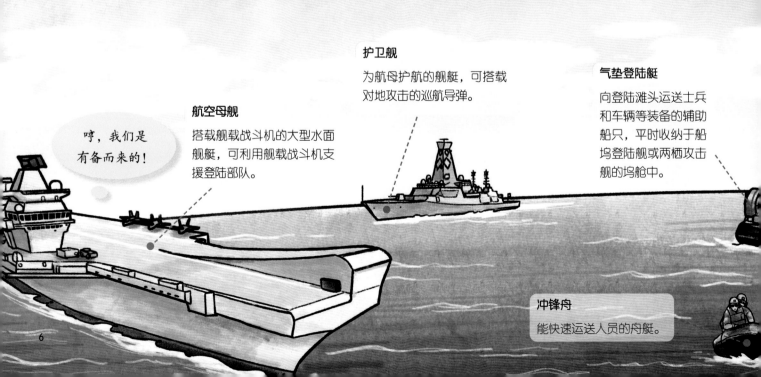

哼，我们是有备而来的！

护卫舰

为航母护航的舰艇，可搭载对地攻击的巡航导弹。

气垫登陆艇

向登陆滩头运送士兵和车辆等装备的辅助船只，平时收纳于船坞登陆舰或两栖攻击舰的坞舱中。

航空母舰

搭载舰载战斗机的大型水面舰艇，可利用舰载战斗机支援登陆部队。

冲锋舟

能快速运送人员的舟艇。

情况紧急，我们的轰炸机要在敌方还没在海滩建好防御工事时飞往战场，对敌方登陆部队进行轰炸。

两栖装甲车

可以在水中浮渡，装有小口径机炮、车载机枪等武器，驶上滩头后可以快速投入战斗。

7

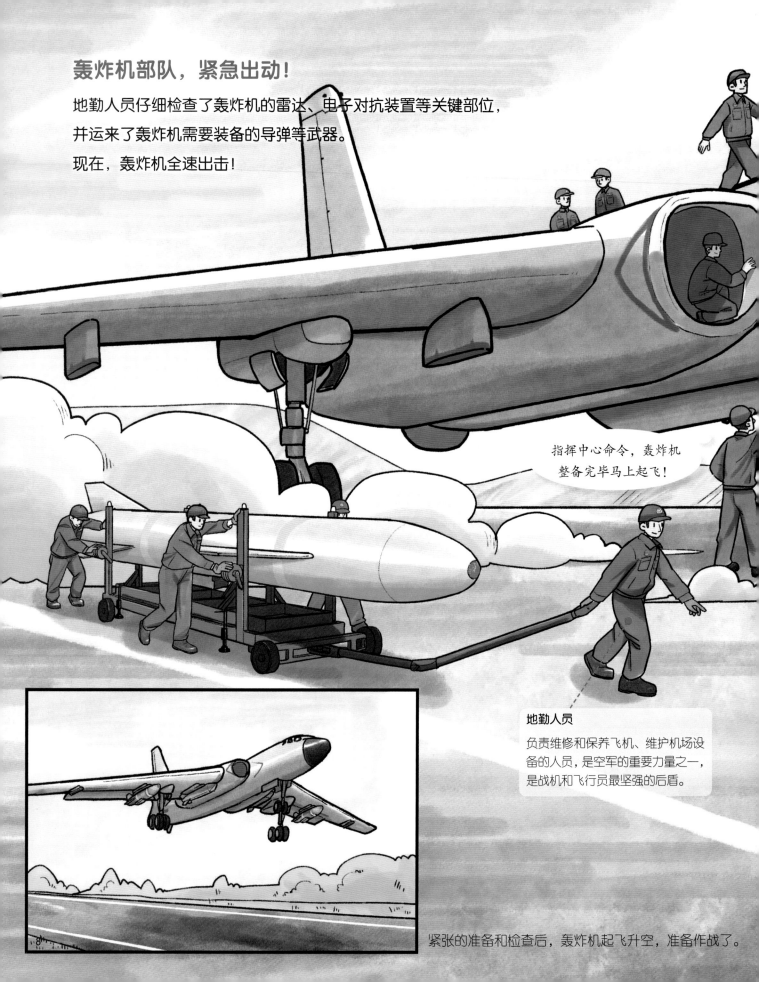

轰炸机部队，紧急出动！

地勤人员仔细检查了轰炸机的雷达、电子对抗装置等关键部位，
并运来了轰炸机需要装备的导弹等武器。
现在，轰炸机全速出击！

指挥中心命令，轰炸机
整备完毕马上起飞！

地勤人员

负责维修和保养飞机、维护机场设
备的人员，是空军的重要力量之一，
是战机和飞行员最坚强的后盾。

紧张的准备和检查后，轰炸机起飞升空，准备作战了。

牵引车

在机场地面牵引飞机的特种车辆。轰炸机没法倒着走，所以需要牵引车的协助。

专业等级胸标

显示地勤人员的专业等级，分为特级、一至七级和未定级 9 个等级。最优秀的资深地勤人员才有资格佩戴特级胸标。

机务专业岗位臂章

共有 6 种，分别对应机械、军械、电子、特设、质控、火控岗位，对应飞机的结构、武器系统、雷达及电子设备、特殊应用设备等子系统。

机种胸标

上面有地勤人员负责维护的机种的标志。

地勤工作服

包括长檐帽、长裤、短款夹克、地勤鞋等。冬天则更换为套头针织帽、短大衣、地勤靴等。

工具箱

装有各种维修工具，用来维护不同型号的飞机。

什么时候飞到眼前了？
雷达怎么没发现？

低空飞行

轰炸机低空飞行时，能利用地形躲避敌方雷达的探测，但这也对飞行员的驾驶技术提出了较高的要求。

发现敌人，突防！

对于轰炸机的袭击，敌人是不会无动于衷的。
他们早早就布置好了由防空导弹、高射炮和战斗机组成的多道防线。
"我们的轰炸机有突破这些防线的本领，这就是突防。"指导员告诉我们。
那么，不同种类的轰炸机各自有哪些突防办法呢？

电子对抗

电子对抗是轰炸机突防的重要手段。轰炸机通过自身的电子对抗装置和外挂电子战吊舱干扰敌方雷达，使其无法正常工作甚至完全瘫痪。

防区外机载布撒器

装有很多小型炸弹，通常由轰炸机在敌人防空火力射程外发射，多用于轰炸敌人的机场或车辆编队。

滑翔制导炸弹

在普通炸弹上安装滑翔翼和尾舵而制成的炸弹，投弹后，滑翔翼可以让炸弹在空中滑翔很远，能对敌人的碉堡、桥梁、建筑等目标进行精确轰炸。

防区外武器

在敌人防空圈外就能发起攻击的武器，包括远程巡航导弹、滑翔制导炸弹、防区外机载布撒器等，可以让轰炸机在更安全的地方发起攻击。

坐稳了，我们要加速
爬升，准备突防了！

高空高速飞行

如果轰炸机爬升到 2 万米以上的高空以
大于 2 倍声速的速度飞行，防空导弹拦
截它的难度就会大大增加。

远程巡航导弹

由轰炸机挂载，负责攻击远距离地面目
标，可以在山谷中超低空飞行并自动规
避障碍物，射程可达 3000 千米。

隐身功能

轰炸机的机翼与机身完全融为一体，外形类似
滑翔翼，机体外表面全部涂刷隐身涂料，能吸
收敌方雷达波，不容易被侦察到。

冲呀！
全速前进！

水平轰炸

轰炸机以水平飞行姿态飞抵目标上空进行轰炸的轰炸方式，多见于重型轰炸机。

俯冲轰炸

轰炸机以俯冲姿态投掷炸弹的轰炸方式，多见于第二次世界大战中的轻型轰炸机。

锁定目标，投弹！

突破了敌人的防空火力网，我们到达了敌方阵地上空。

机长下令：

"锁定目标，开始轰炸！"

一枚枚炸弹接连从高空落下，直奔目标而去。

看我的，保证命中目标！

轰炸瞄准具

从第二次世界大战初期开始逐步应用到轰炸机上，早期的轰炸机采用光学瞄准的方式确定最佳投弹点，现代轰炸瞄准具则完全通过计算机自动计算并显示轰炸的最佳投弹点。

轰炸步骤

1. 寻找地面或水上标示物，确定轰炸机的方位。
2. 确定轰炸目标的具体位置。
3. 选择合适的飞行路径，飞到目标上空。
4. 将目标坐标数据输入轰炸瞄准具，计算最佳投弹点。
5. 弹舱开启，旋转挂架解锁，炸弹或导弹飞向目标。

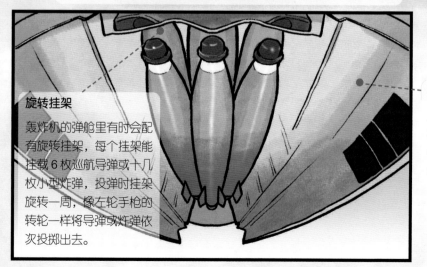

旋转挂架

轰炸机的弹舱里有时会配有旋转挂架，每个挂架能挂载6枚巡航导弹或十几枚小型炸弹，投弹时挂架旋转一周，像左轮手枪的转轮一样将导弹或炸弹依次投掷出去。

弹舱

又叫武器舱，是轰炸机挂载炸弹或导弹的地方。位于机腹，能挂载几十枚炸弹。

战神的独门武器

"实际上，轰炸机的武器可不只有刚才使用的这些，还有一些更先进、威力更强的呢。"
指导员开始为我们讲解更多轰炸机的独门武器。

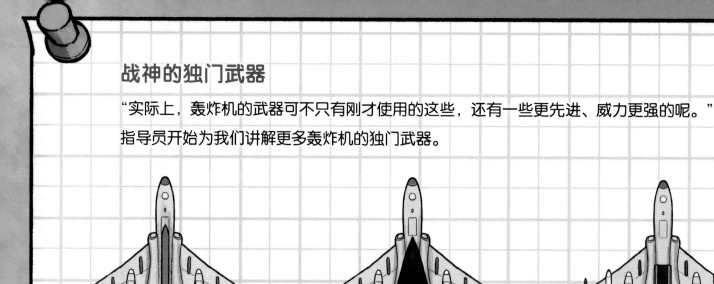

空射弹道导弹
堪称现役轰炸机可挂载的体积最大的武器，可携带高超声速弹头或核弹头。每架轰炸机仅能挂载一枚。

无人机
挂载于轰炸机机腹下方。在高空被释放后，可打开火箭发动机飞行。

空射巡航导弹
打击精度高，射程可达数百至数千千米。每架轰炸机可挂载 4~6 枚。

目前，世界上可使用轰炸机挂载无人机和空射巡航导弹的国家仅3 个。这些技术需要无数科研人员花费大量精力去研究，更需要强大的综合国力支持。

低阻炸弹
外形细长，呈流线型，飞行速度很快，可以改装成精确制导炸弹。

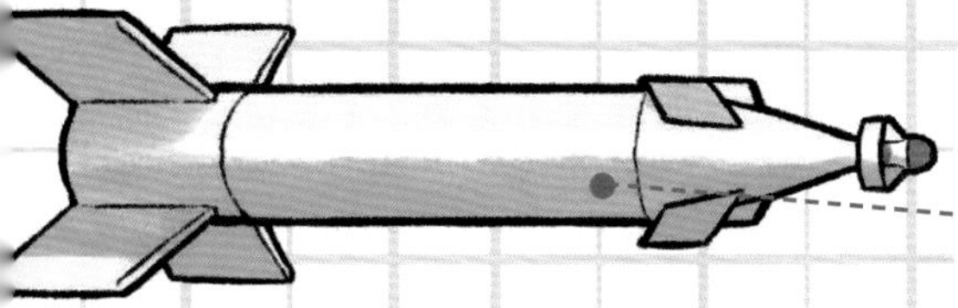

激光制导炸弹
装有激光制导模块的炸弹，能更精确地击中目标。

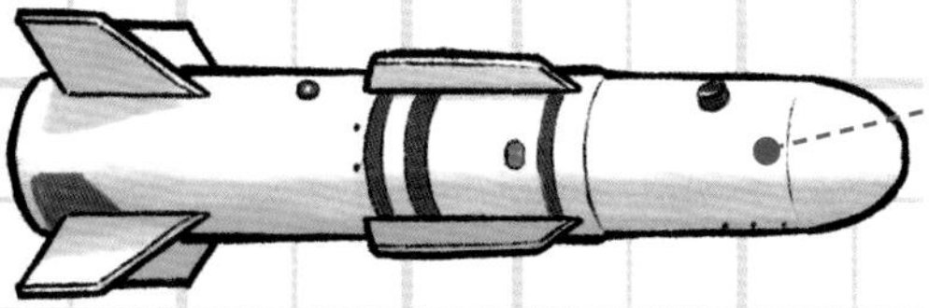

卫星制导炸弹
利用卫星定位系统制导的炸弹，精确度不容易受气象条件干扰。

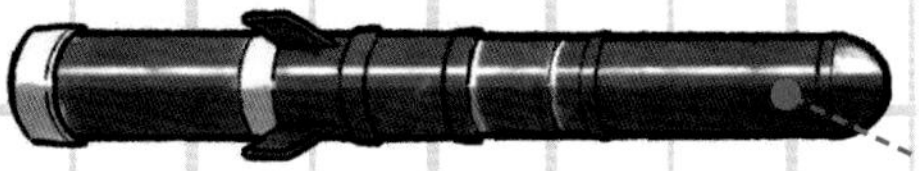

反跑道炸弹
配备钻地弹头的炸弹，专门用于攻击机场跑道。

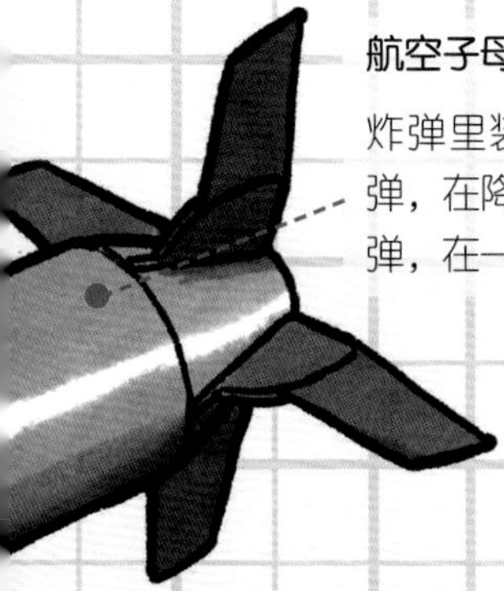

航空子母弹
炸弹里装有几十乃至上百枚小炸弹，在降落到低空时抛出全部小炸弹，在一大片区域内造成杀伤。

高阻炸弹
重量可达数吨，外形短粗，头部钝圆，尾部装有安定器以稳定炸弹下落中的姿态。

3000 公斤

航空炸弹

这么大的炸弹，爆炸时威力一定不小。

这枚炸弹比人都高，看起来好震撼！

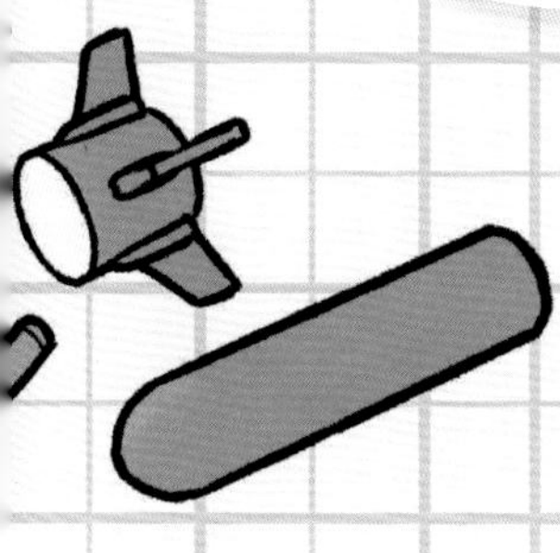

15

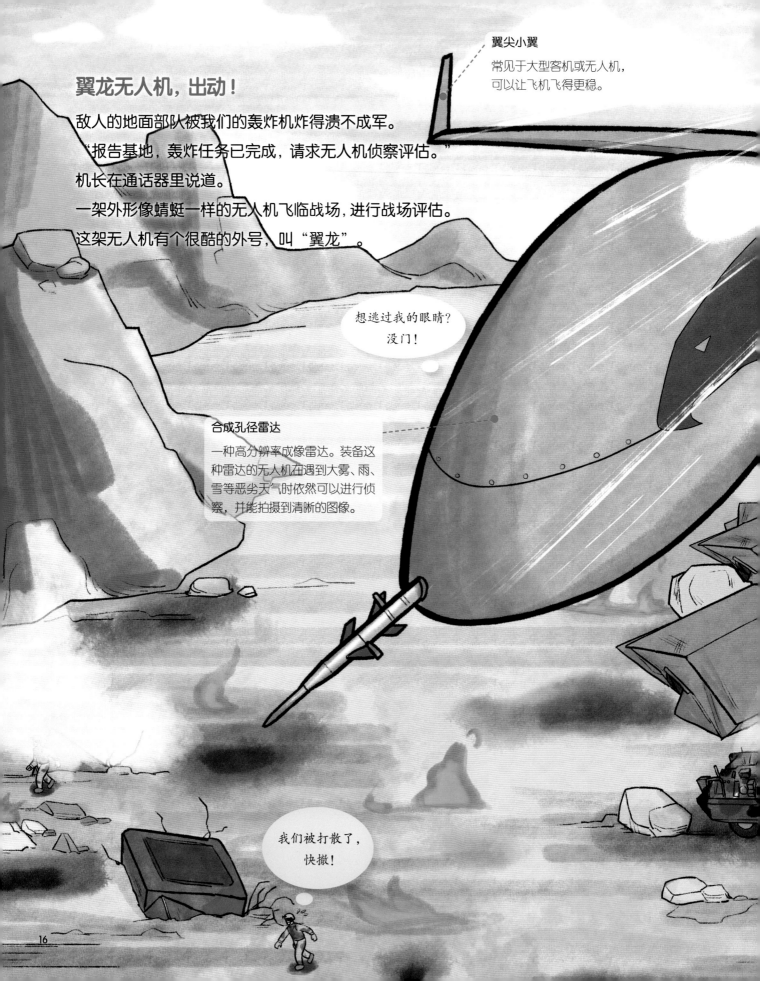

翼龙无人机，出动！

敌人的地面部队被我们的轰炸机炸得溃不成军。

"报告基地，轰炸任务已完成，请求无人机侦察评估。"机长在通话器里说道。

一架外形像蜻蜓一样的无人机飞临战场，进行战场评估。

这架无人机有个很酷的外号，叫"翼龙"。

翼尖小翼
常见于大型客机或无人机，可以让飞机飞得更稳。

合成孔径雷达
一种高分辨率成像雷达。装备这种雷达的无人机在遇到大雾、雨、雪等恶劣天气时依然可以进行侦察，并能拍摄到清晰的图像。

想逃过我的眼睛？没门！

我们被打散了，快撤！

智能飞行

无人机的自动化程度极高，可以实现自动起降和对目标的自动跟踪、锁定、攻击。

V形尾翼

兼有水平尾翼和垂直尾翼的功能，可控制飞机的俯仰角度和航向。飞机装备这种尾翼可以减轻结构重量。

涡轮螺旋桨发动机

比涡轮喷气发动机省油，适用于需要长时间飞行、但对速度没有严格要求的飞机。

空对地导弹

在无人机的机翼下挂载的小型对地导弹。

侦察战场

无人机可收集战场情报、持续监视战场、对敌人进行电子干扰、搜救我方人员、恢复区域内我军电子信号等。

共享信息

指挥所的大屏幕会同步显示无人机侦察到的信息，指挥官可以根据这些信息决定是否进行二次轰炸。

发动攻击

无人机也可一次挂载十几枚小型导弹进行对地打击。

17

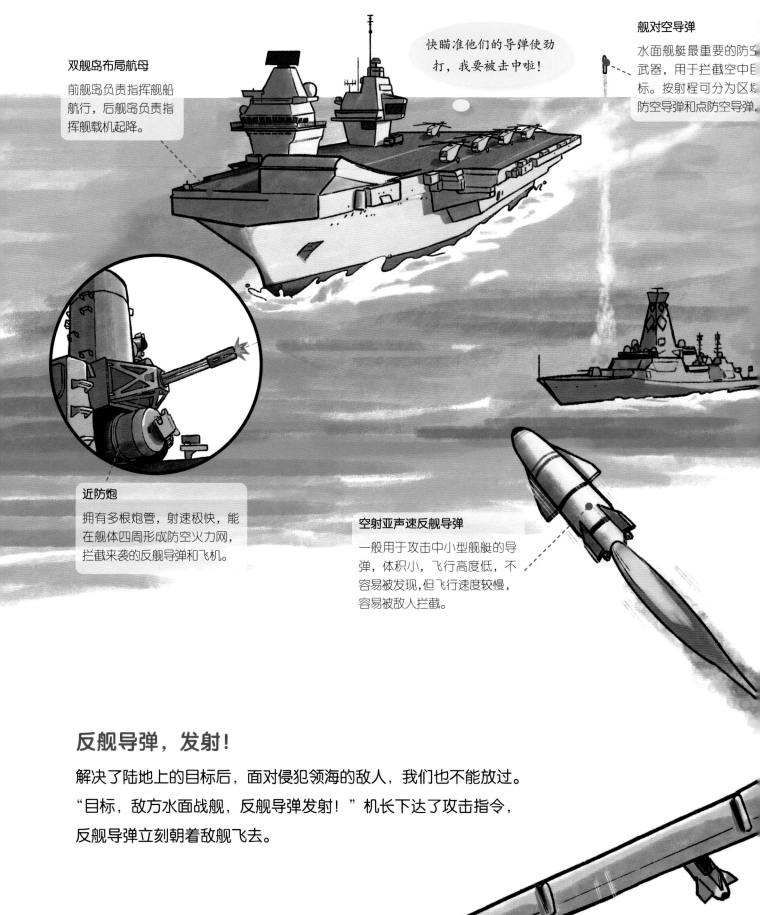

双舰岛布局航母

前舰岛负责指挥舰船航行，后舰岛负责指挥舰载机起降。

快瞄准他们的导弹使劲打，我要被击中啦！

舰对空导弹

水面舰艇最重要的防空武器，用于拦截空中目标。按射程可分为区域防空导弹和点防空导弹。

近防炮

拥有多根炮管，射速极快，能在舰体四周形成防空火力网，拦截来袭的反舰导弹和飞机。

空射亚声速反舰导弹

一般用于攻击中小型舰艇的导弹，体积小，飞行高度低，不容易被发现,但飞行速度较慢,容易被敌人拦截。

反舰导弹，发射！

解决了陆地上的目标后，面对侵犯领海的敌人，我们也不能放过。
"目标，敌方水面战舰，反舰导弹发射！"机长下达了攻击指令，
反舰导弹立刻朝着敌舰飞去。

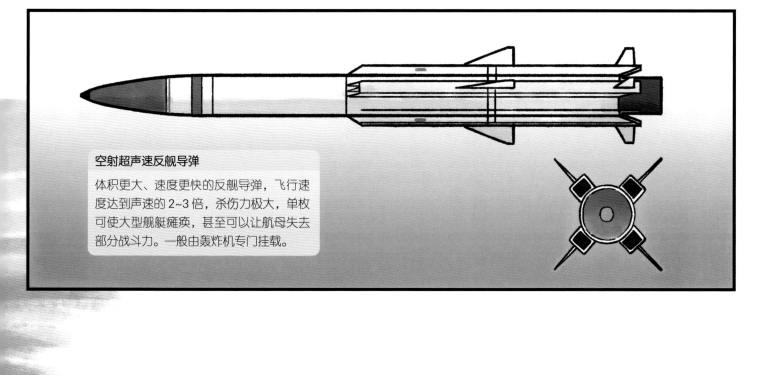

空射超声速反舰导弹

体积更大、速度更快的反舰导弹,飞行速度达到声速的 2~3 倍,杀伤力极大,单枚可使大型舰艇瘫痪,甚至可以让航母失去部分战斗力。一般由轰炸机专门挂载。

别怕，
我是称职的保镖。

护航

我方战斗机会通过拦截敌方战斗机来为轰炸机提供掩护。由于战斗机的航程比轰炸机的短得多，一般可选择在关键的空域护航或多架战斗机接力护航等护航方式。

弹射舱门

位于驾驶舱上方的逃生装置，紧急情况下可以被抛掉，让机组乘员启动弹射座椅逃离轰炸机。

弹药打光了，如果遭到攻击就准备弹射！

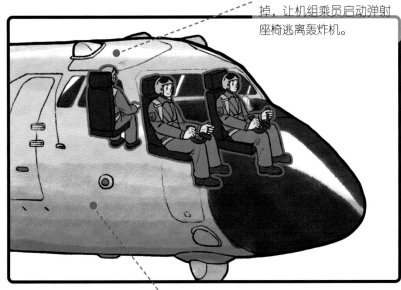

轰炸机的装甲

旧式轰炸机的重要防护装备，用来抵御敌机机炮和地面防空炮的攻击。现代空战中，空空导弹对轰炸机的威胁较大，这使轰炸机的装甲失去了意义，因此轰炸机不需要额外加装装甲了。

弹射座椅

装有火箭弹射装置和降落伞。遇到危险时，轰炸机机组乘员会按武器操作员、副驾驶、机长的顺序依次弹出。

红外干扰弹
可以诱骗敌方的红外制导空空导弹去攻击错误的目标，从而保证轰炸机的安全。

自卫防御与逃生

"我们的援兵来了！"
指挥部派来了多架战斗机为我们护航，它们是强大的"保镖天团"。
在联合进攻下，敌人的舰队狼狈地逃走了。

机组乘员的弹射是有顺序规定的，因为一起弹射会造成空中相撞的事故。
按照规定，机长必须最后离机。

远航食品

种类丰富多样，味道可口，有自热咖喱饭、酱牛肉、宫保鸡丁等饭菜，还有巧克力、能量棒等能够快速补充体力的食品。

飞行员的远航保障

我们赶跑了敌人，任务圆满完成，安全返航！

放松下来，我们才发现肚子已经咕咕叫了。

指导员早有准备，取出远航食品分发给大家。

"长途飞行很消耗体力，所以飞行员吃饭也是一件大事。这些远航食品的味道很不错。"

喝完这一杯，再来一杯。

航空饮用水

使用特殊的袋子包装，袋子上面固定有吸管。

坏了，水喝得太多了！

飞行员如何上厕所

轰炸机内部设施众多，没有空间安装厕所，飞行员只能通过集尿袋或便携式厕所救急。

集尿袋

便携式厕所

长途飞行

轰炸机的航程动辄数千千米，有时要跨昼夜连续飞行 8~10 小时。
随着轰炸机的航程越来越长，飞行员也面临着新的考验。

饿了，来一根能量棒！

飞行员的身高

轰炸机内部空间较大，风挡比战斗机的更高，因此轰炸机飞行员需要高一些，坐在驾驶席上才能看见前方。

飞行员的饮食

在长途飞行中，飞行员要始终保持注意力高度集中，体力消耗很大。一旦饥饿或缺水，飞行员就无法集中精神，耐力也会下降，影响作战。因此，解决轰炸机飞行员远航时的饮食问题是各国空军的大事。

不列颠之战（1940~1941）

第二次世界大战中，英国和德国的空军在英国本土上空进行了规模最大的空战。双方各损失飞机上千架，飞行员数千人。英国最终挫败了德国的登陆作战计划。

英国皇家空军

成立于1918年4月1日，是世界上历史最悠久的独立空军。

英国兰开斯特轰炸机

第二次世界大战中英国皇家空军的主力重型轰炸机，是空袭德国本土的主要轰炸力量。

德国 He111 轰炸机

第二次世界大战期间加装了无线电导航设备的德国轰炸机。

美国 B-29 轰炸机——"超级空中堡垒"

美国在太平洋战争后期投入战场的主力轰炸机，也是当时最大的军用飞机。

初期的轰炸战术多为出动一架或几架飞机各自执行任务，后期才出现轰炸机编队的战术。

第一次世界大战中，德国利用飞艇和轰炸机对英国发动了持续空袭，投下300余吨炸弹，英国损失惨重。德国的轰炸促使英国格外注重对空中力量，尤其是地面防空力量和战机拦截力量的建设。

空中投弹战法

飞机在发明后还不到8年，就被推向了战场。1911年，意大利航空队飞行员驾驶鸽式单翼机徒手从空中丢下炸弹攻击地面士兵，虽然这种丢炸弹的手法没有任何精确度可言，但还是震惊了敌人。

虽然扔不准，但能威慑敌人。

不能让侵略者如此嚣张！

战神的成长史

自诞生至今，
轰炸机已有100多年的历史。
从早期的双翼机，
到螺旋桨重型轰炸机，
再到现在飞得更远、速度更快、
吨位更大的喷气式轰炸机，
它们一直都是改变战场态势的存在。

法国瓦赞轰炸机

法国在第一次世界大战初期装备的双翼轻型轰炸机，轰炸过德国飞艇库。

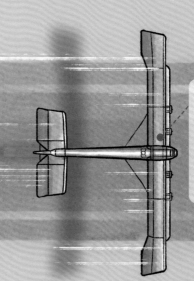

俄国伊利亚·穆罗梅茨重型轰炸机

世界上第一种四发重型轰炸机，机组乘员8人，装备7挺机枪、1门航炮，能携带7吨左右的弹药。

制空权
The Command
of the Air

未来战争将由
空中力量决定胜负，
掌握制空权就意味着胜利。

制空权

意大利将军、军事理论家朱利奥·杜黑于1921年出版了《制空权》一书，首次系统地提出了"空中战场"的概念。杜黑的制空权理论对两次世界大战之间各国的空军建设，尤其是轰炸机的发展有重要影响。

德国哥塔 G.Ⅳ 型轰炸机

德国于第一次世界大战后期投产的双翼重型轰炸机，1917年执行了对英国首都伦敦的远程密集轰炸。

德国齐柏林飞艇

体积巨大的飞行器，能装载远超当时轰炸机极限载弹量的炸弹，但飞行速度和高度都比不上轰炸机。

毁天灭地的超级武器

刚才的任务中，轰炸机使用的那些威力强大的炸弹和导弹给我们留下了深刻的印象。

就在这时，指导员严肃地说："其实轰炸机还有一种压箱底的王牌武器，轻易不会使用，一旦使用就有毁天灭地的效果。它就是核武器。"

核攻击

1945 年 8 月 6 日和 9 日，美国用 B-29 轰炸机向日本的广岛和长崎两座城市投掷了代号为"小男孩"和"胖子"的两枚原子弹。不久之后，日本宣布无条件投降。这是截至目前人类历史上唯一一场使用核武器的战争。

参与核试验

1967 年 6 月 17 日，我国轰 –6 甲型轰炸机首次执行了空投氢弹试爆试验。为了避免氢弹爆炸的光芒损害轰炸机，这架轰炸机的下半部分被涂成了更容易反光的纯白色。此后，下白上银就成了我国执行核攻击任务的轰炸机的标准配色。

爆炸成功，我们完成任务了！

核武器

轰炸机可以投掷核炸弹或发射核导弹，比起需要临空投掷的核炸弹，核导弹最远可以攻击上万千米外的目标，并对其造成毁灭性的打击。世界上能够用战略轰炸机投掷核武器的国家仅有中、美、俄 3 个。

太好了，试验成功了！

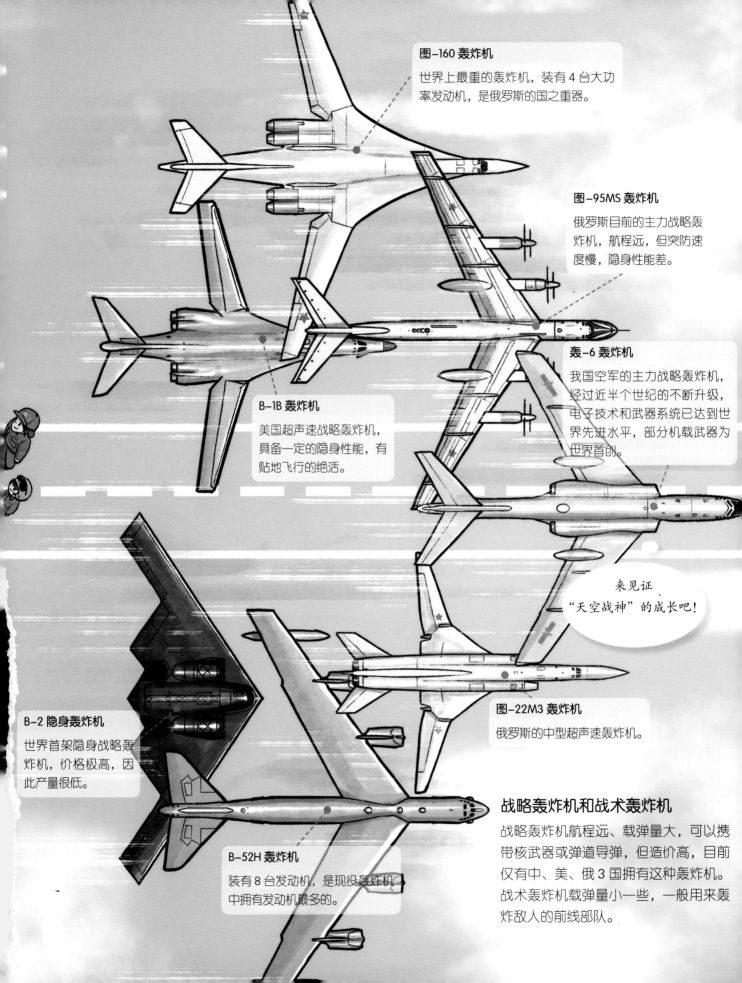

图-160 轰炸机
世界上最重的轰炸机，装有 4 台大功率发动机，是俄罗斯的国之重器。

图-95MS 轰炸机
俄罗斯目前的主力战略轰炸机，航程远，但突防速度慢，隐身性能差。

B-1B 轰炸机
美国超声速战略轰炸机，具备一定的隐身性能，有贴地飞行的绝活。

轰-6 轰炸机
我国空军的主力战略轰炸机，经过近半个世纪的不断升级，电子技术和武器系统已达到世界先进水平，部分机载武器为世界首创。

来见证"天空战神"的成长吧！

B-2 隐身轰炸机
世界首架隐身战略轰炸机，价格极高，因此产量很低。

图-22M3 轰炸机
俄罗斯的中型超声速轰炸机。

B-52H 轰炸机
装有 8 台发动机，是现役轰炸机中拥有发动机最多的。

战略轰炸机和战术轰炸机
战略轰炸机航程远、载弹量大，可以携带核武器或弹道导弹，但造价高，目前仅有中、美、俄 3 国拥有这种轰炸机。战术轰炸机载弹量小一些，一般用来轰炸敌人的前线部队。

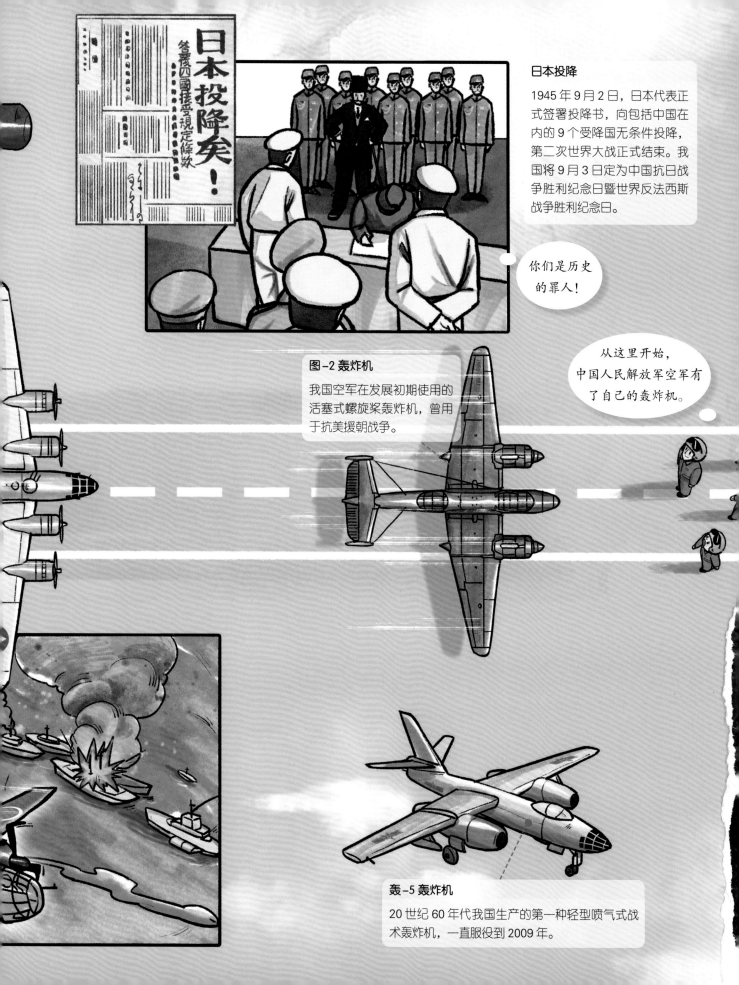

日本投降

1945年9月2日，日本代表正式签署投降书，向包括中国在内的9个受降国无条件投降，第二次世界大战正式结束。我国将9月3日定为中国抗日战争胜利纪念日暨世界反法西斯战争胜利纪念日。

你们是历史的罪人！

图-2 轰炸机

我国空军在发展初期使用的活塞式螺旋桨轰炸机，曾用于抗美援朝战争。

从这里开始，中国人民解放军空军有了自己的轰炸机。

轰-5 轰炸机

20世纪60年代我国生产的第一种轻型喷气式战术轰炸机，一直服役到2009年。

我国未来新型战略轰炸机

"天空长城"

轰炸机和护航编队整齐飞过，如同一座座空中堡垒。
它们守护着祖国和人民，筑起了保卫领空的"天空长城"。

感谢你们的守护，
敬礼！

空军建军节

中国人民解放军空军成立于 1949 年 11 月 11 日，
11 月 11 日被定为我国的空军建军节。

"我是中国空军,你即将进入中国领空,立即离开,立即离开。"

这是中国飞行员对即将进入中国领空的外国飞机发出的警告。

2001 年 4 月 1 日 8 时 55 分,美军一架侦察机侵犯我国南海上空,被我机警告后,仍然继续飞行。为捍卫祖国领空,我军飞行员王伟驾驶战机进行拦截,壮烈牺牲。

20 年过去了,我们仍然记得一架编号为 81192 的战机和一名捍卫祖国领空的英雄——王伟。

那么小朋友们,你们知道什么是领空吗?

领空是指一个国家的领陆、内水和领海的上空,是一国领土的组成部分。我国的陆地面积为 960 万平方千米,内海和边海的水域面积约 470 万平方千米,我国的领空就是陆地再加上内海和边海水域的上空的总和。

每个国家都有自己的领空权,外国的飞机和其他航空器未经许可,不得在本国的领空飞行。

一个国家的领空由谁来保护呢? 答案是空军。

空军是陆海空三军当中成立最晚的军种。第一次世界大战结束之后,许多国家认识到空军的重要性,纷纷成立了独立的空军,承担起国土防空、支援陆军和海军、实施空袭、进行空运和航空侦察等任务。

中国人民解放军空军于 1949 年 11 月 11 日建立,不仅承担了国土防空的任务,还承担着经略空天的任务,可以说是空天一体、攻防兼备。经过 70 多年的努力和建设,经过几代人的拼搏,中国空军的实力得到了飞速发展。近 15 年来我国空军装备逐渐由歼 -6、歼 -7、歼 -8 换装为歼 -10、歼 -16、歼 -20 等三代、四代新型战机。除此,大型运输机、空中预警机和大型加油机都有了快速发展,我国空军还构建了红旗 -9、红旗 -16、红旗 -17 防空导弹系统等,从而形成了难以突破的防御体系。

这套书的主角是中国的重要空军装备，包括战斗机、轰炸机和运输机等，以"小机长"参加空军演习任务为故事主线，将战斗机的装备原理及起降方式、轰炸机的作战样式、运输机的主要构造等专业难懂的知识，以及空军战士的工作和生活等场景，用孩子们易于理解和接受的方式，进行了生动翔实的说明。同时，这套书还为孩子们解答了有关空军装备的"十万个为什么"：战略运输机是什么？空降兵部队登机前都做哪些准备？战斗机都有哪些空中特技动作？轰炸机能飞多远，怎样攻击敌人？……

在进行知识科普的同时，书中还展现了中国空军的责任和担当，培养孩子们乐观奋进、勇于担当等优良品质。通过阅读这套书，小读者们能够了解大国重器的价值，全面了解我国空军的科技成就，从小树立远大理想，争做有本领、有担当的时代新人。

著名军事专家
中国人民解放军战略支援部队航天工程大学原副校长
陆军少将